Traduit par Priscille d'Harcourt

Conception artistique de la couverture par Rita Marshall
Édition originale parue sous le titre :
« Snuff »
aux Éditions HarperCollins publishers Ltd, UK
publié en accord avec HarperCollins, UK.
propriété intellectuelle texte et illustrations
© Quentin Blake
© 1993 Calligram
Imprimé en CEE
ISBN : 2-88445-077-7

RAYON BLEU

Tim
et les voleurs

Raconté et illustré
par Quentin Blake

©ALLIGRAM

Un beau matin, Messire Thomas
se lève de très mauvaise humeur :
les souris ont encore dévoré ses bottes !
– Tim, crie-t-il, Tim !
Mais qui est Tim ?

Tim est le page de Messire
Thomas, c'est-à-dire qu'il
le sert pour devenir plus tard
un chevalier comme lui.
Tim rêve d'être un chevalier ;
hélas, même en s'appliquant,
il fait tout de travers.
Installé sur le toit, au soleil,
il envoie des miettes
aux pigeons et laisse son esprit
vagabonder, imaginant qu'il
est un chevalier aux
mille aventures.

À l'appel de Messire Thomas, Tim
court l'aider : il brosse sa grande cape
et lui fait choisir le chapeau
qu'il va mettre.
Dès que Messire Thomas a le dos
tourné, Tim essaye lui aussi un
chapeau, pour voir de quoi il aura l'air
en chevalier.

Après le petit-déjeuner, Tim essaie de
rafistoler les bottes de Messire Thomas.
Pendant ce temps, Madame Croissant, la
gouvernante, leur prépare des sandwiches.
Messire Thomas est de meilleure humeur.
Il bondit autour de la cuisine en racontant
des histoires passionnantes de chevaliers
et de bandits. Tim est si captivé qu'il
néglige son travail !

Comme il y a du soleil, Messire
Thomas sort pour donner sa leçon
de chevalerie à Tim ; ils montent
sur Fière-Ficelle, le cheval de Messire
Thomas, et ils partent à travers prés
et bois, saluant gaiement
chaque paysan qu'ils rencontrent.

Normalement, un page a son propre
cheval, mais Messire Thomas
est si pauvre qu'il ne peut pas
en acheter un autre ;
Tim monte donc derrière lui.

Arrivés à leur endroit habituel,
près du pont sur la rivière,
ils commencent la leçon :
« Comment bien se servir de son épée. »
Tim, surexcité, brandit son épée
trop haut, et elle se coince
dans les branches d'un arbre.

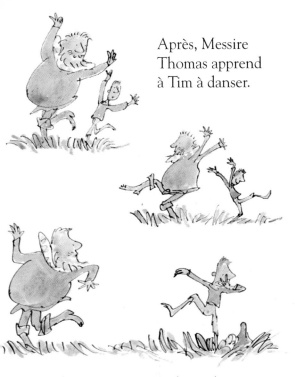

Après, Messire Thomas apprend à Tim à danser.

Tim fait trois pas à gauche au lieu de les faire à droite, et atterrit dans les sandwiches !

Enfin, pour apprendre à saluer,
Tim se penche trop vite,
perd l'équilibre et tombe
dans la rivière.

Messire Thomas soupire
en essorant les habits
de Tim :
– Ça va être
très long
pour faire
de toi un
chevalier ! Tu ne sais pas combattre
à l'épée, tu ne sais ni danser, ni saluer,
et pire encore, tu ne sais pas réparer
des souliers mangés par des souris...
Il désigne les trous dans ses bottes.
– Ce n'est plus possible, dit-il, il nous
faut rendre visite au bottier dans la
clairière. En route, Tim !

En arrivant près de la maison
du bottier, ils voient, chose étrange,
quatre hommes en train de s'enfuir,
les bras chargés de bottes !

Messire Thomas et Tim trouvent
le bottier assis sur les marches
de la maison, la tête dans les mains :
– Mon Dieu, ces quatre abominables
voleurs ont menacé de revenir
avec une carriole pour emporter
le reste de mes souliers...
Des mois de travail fichu !
Il conduit Messire Thomas et Tim
dans son atelier à la cave pour
leur montrer toutes ses belles bottes.

Messire Thomas brandit son épée :
– Voler vos bottes, crie-t-il,
qu'ils essaient !
– Hélas, ils sont quatre hommes
grands et costauds, soupire le bottier,
et nous ne sommes que deux,
plus une demi-portion !

Pendant ce temps, Tim regarde
les bottines, les bottes
et les cuissardes, de toutes les tailles
et de toutes les couleurs...
Et ça lui donne une idée !
– Prenez tout ça, je vous expliquerai !
crie-t-il en mettant le plus possible
de bottes dans les bras des deux
hommes, nous avons juste le temps !

Alertés par le grondement
d'une carriole qui se rapproche,
ils filent par la porte de derrière.

Un instant plus tard, les bandits
dévalent l'escalier de la cave
avec des petits rires sinistres :
– Regardez toutes ces belles bottes,
ricanent-ils.
Et ils se précipitent pour les essayer.
Mais ils s'arrêtent net.

Dehors, derrière le soupirail de la cave,
huit paires de grands pieds martèlent
le sol : plom plom plom...
Les voleurs entendent une grosse voix :

– Montrez-moi ces fameux voleurs,
que je leur apprenne à dérober
les bottes des autres gens...
Ensuite, huit autres paires de pieds

passent devant la petite fenêtre :
plom plom plom...
– Prenons-les par surprise, ils ne sont
que quatre, gronde une deuxième voix,

on les aura !
Ils piétinent de plus en plus nombreux,
avec des bottes de toutes les tailles
et de toutes sortes.

Le chef des brigands blêmit de terreur ;
car, au fond, ces voleurs
sont des lâches !
– Nnnnous ssommes ffifichus,
bégaie-t-il, fffilonns aavant
qu'ils ne ne nous attrapent !

Sans même récupérer leurs propres chaussures, les quatre abominables voleurs de bottes disparaissent dans les bois en hurlant.

Le bottier félicite Tim :
– Bravo, Tim, c'était une idée géniale
de nous avoir mis des bottes aux mains
et aux pieds pour défiler devant
la fenêtre !
Ils continuent un moment – plom
plom plom – pour savourer leur
victoire. Puis ils vont s'asseoir et
mangent les sandwiches confectionnés
par Madame Croissant.

– À mon tour de faire quelque chose
pour vous, annonce le bottier.
Dès que vous aurez besoin d'une paire
de bottes neuves, je vous l'offrirai,
et cela pendant toute votre vie...
D'ailleurs, je vais commencer
dès maintenant !...

Messire Thomas et Tim, enchantés,
essayent des bottes les unes après
les autres...
Et ce n'est pas fini ! Une fois ses bottes
neuves enfilées, Tim suit le bottier
qui l'entraîne derrière la maison,
et lui montre un petit cheval :

– Il s'appelle Feu-Follet, dit le bottier,
et c'est désormais le tien ; comme ça
tu pourras vraiment apprendre
à devenir un chevalier !

– Le soleil se couche, il est temps
de se quitter, dit Messire Thomas.
Il monte sur Fière-Ficelle,
Tim monte sur Feu-Follet,
et tous deux rentrent chez eux.
– Bon travail, Tim, dit Messire
Thomas, je n'ai plus aucun doute
maintenant : tu deviendras
certainement un chevalier
de premier ordre !

Peux-tu imaginer la joie de Tim
en entendant ces mots ?